Dedicación con amor
a mis tres hijas hermosas
Stacey, Samantha y Shannon
y a todos los chicos y chicas
pequeñas por todas partes
y sus Mamas y los Papás, que
comparten en el entusiasmo
de sus niños en el
primer día de
escuela.

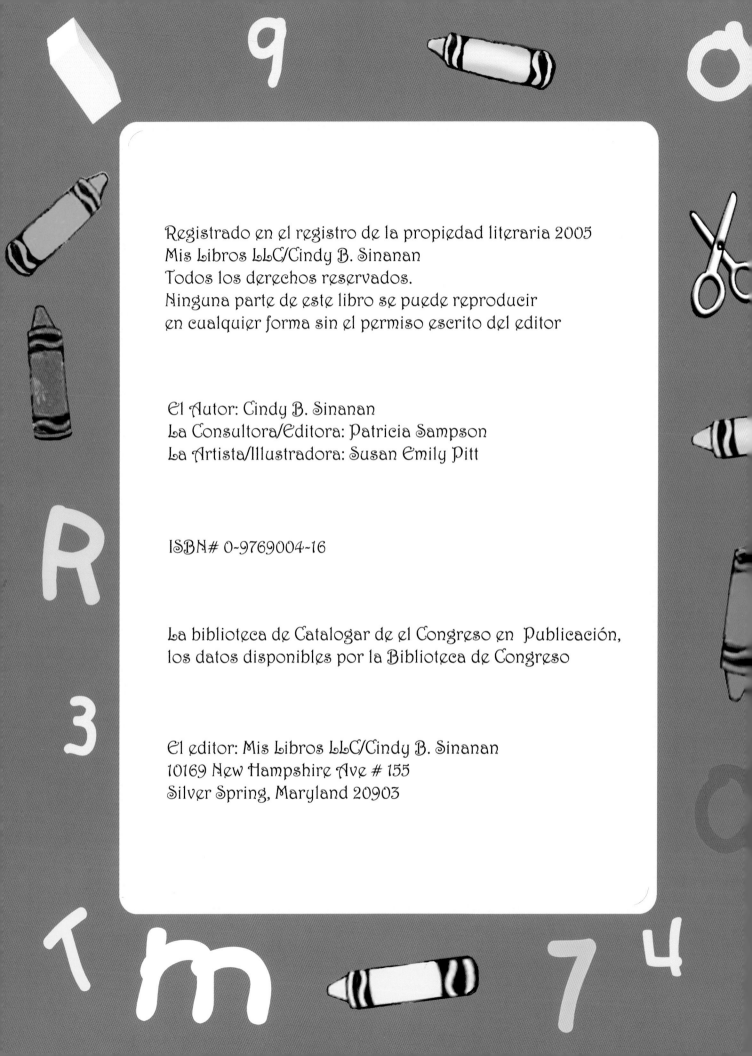

El Autor: Cindy B. Sinanan
La Consultora/Editora: Patricia Sampson
La Artista/Illustradora: Susan Emily Pitt

ISBN# 0-9769004-16

La biblioteca de Catalogar de el Congreso en Publicación,
los datos disponibles por la Biblioteca de Congreso

El editor: Mis Libros LLC/Cindy B. Sinanan
10169 New Hampshire Ave # 155
Silver Spring, Maryland 20903

MI PRIMER DIA EN la ESCUELA

MIS LIBROS LLC
Silver Spring, Maryland 20903

Stacey
despierta temprano
y saluda el día.
"Este es mi primer día
de escuela.
¡HURRA ¡
Todo el verano largo
Yo ya no podia
espero~
Yo sé que
mi escuela
será buena".

Stacey
se agarra las manos
Y las aprieta fuerte
y dice una
oración pequeña
"por favor.. ¡
Llevate
mis mariposas
de mis barriga
antes que
yo llego allí"!

7

¿Los cepillos
de stacey
los dientes
mientras mami
la abraza a ella
apretandola
"se Prepara para su
primero día,
mi amor"?
"Sí Mami
que soy bien".

9

Peine de mami
su pelo
hasta que brille
y parezca bonito y
se siente tan suave.
Stacey
se siente orgullosa
de su vestido
todo en azul, con
un peinado bonito
y su zapatos
brillantes y nuevos.

¡Un sano
desayuno antes
de salir
su mochila
llena para
un día emocionante!
Con lápices gordos
los crayones
los borradores
también
papel Brillante
y pega con brillo.

13

Stacey,
y mami
salen juntas
a caminar
en el camino
ellas tienen tiempo
de hablar.
"Hay algo que tu
no entiendas,
no tengas miedo
para levanter
la mano."

15

"Adiós, Mami,
te quiero"!
Stacey se une a
los niños nuevos y
su maestra también.
¡Los niños
estan emocionados
para empezar el día
Y oír lo que
la maestra
tiene que decir!

16

¡" Chicos y Chicas
ustedes están aquí
para empezar
la escuela~
y un año emocionante!
Buscan una silla
y se sientan,
por favor,
es tiempo
para ser abejas
ocupadas."

18

19

"En el primer grado
usted tendrá
la diversión
verdadera
y aprenderá
todo lo que
usted necesita
para escribir
y para contar~
y mejor de todo.
.... ¡LEER!"

ABCDEFGHIJKLM
NOPQRSTUVWXYZ

A para
Avion

B para
Bebé

C para
Carro

¡Los niños hicieron
lo mejor que
ellos pueden
como su maestra
supo que ellos
hicieran.
Stacey mostró
su página
a Grace.
"Sr Marc me dio
una cara sonriente"!

22

¡El día Se termino
muy rápido!
Stacey queria,
Que la diversión
durara.
Los números,
las letras, los colores
y las formas~
la escuela es
un lugar maravilloso.

25

"Mami,
Me encanto el dia,
escuché a lo que
mi maestro
tuvo que decir.
Aprendimos con
las como los adultos
y entonces todos
nosotros
salimos a jugar."

¿"Mami, cuando yo sea más grande, puedo escribir un libro? ¡Sería muy emocionante pueder darle a otros ninos una mirada, en lo que pasa dentro de el primer grado, así ellos sabrán que es tan divertido!"

El primer día termino. ¡Toda cómoda en su cama, las visiones de el trabajo de la escuela bailan en su cabeza! ¡Stacey sueña mientras, abraza a Ted, entusiasmada y feliz por días escolares que estan por adelante!